COLLECTION **TAXI**

La fête des morts

Texte de
Dany Laferrière

Illustrations de
Frédéric Normandin

LES ÉDITIONS DE LA
BAGNOLE

Pour mes filles : Melissa
Sarah et Alexandra
Cette parcelle de l'enfance
Dany

Pour mes morts : Raymond, Clément, Jules et Fleurette

F.N.

VIEUX OS : Qu'est-ce que la mort ?
DA : Tu verras.

Dany LAFERRIÈRE
L'Odeur du café

L'oiseau passe au-dessus de ma tête en criant
à tue-tête. Je lui fais un salut de la main.

DA : Tu le connais ?
VIEUX OS : C'est un grand voyageur, Da. Il vole dans le ciel, traverse les mers
et fait ce qu'il veut. Moi, je ne peux pas aller plus loin que Petit-Goâve.
DA : Tu as ton imagination, Vieux Os, et tu t'en sers beaucoup.

Les canards arrivent toujours à ce moment-là.

VIEUX OS : Qu'est-ce qu'il t'a dit, Da ?

DA : Je pense qu'il essaie de me dire le jour de ma mort. Et il est fâché parce que je ne comprends pas sa langue.

VIEUX OS : Ce serait extraordinaire, Da, si on pouvait savoir la date de sa mort. On ferait ce qu'on voudrait puisqu'on saurait que ce n'est pas encore le moment.

DA : Crois-moi, tu t'ennuieras vite, Vieux Os...
C'est mieux la surprise.

J'aime regarder Da préparer le café. Elle prend tout son temps pour le faire. C'est son activité préférée.

VIEUX OS : Da, je ne te vois jamais en sueur comme moi.

DA : Tu montes la pente de la vie, Vieux Os. Moi, je la descends. Il ne faut pas que j'arrive trop vite en bas.

Da savoure tranquillement son premier café de la journée. Elle verse toujours un peu d'eau dans mon café pour le rendre moins fort, sinon ça me donne la migraine. Un petit soleil piquant me brûle la joue droite.

VIEUX OS : Frantz m'a dit qu'il n'a qu'à mettre son livre d'école sous son oreiller avant de s'endormir, et le lendemain matin la leçon est toute fraîche dans sa tête.

DA : Et tu le crois ?

VIEUX OS : C'est sa mère qui le fait étudier.

DA : Imelda est morte.

VIEUX OS : Il la voit chaque nuit dans ses rêves.

DA : Tu n'as pas étudié, Vieux Os ?

VIEUX OS : J'ai étudié, mais c'est plus facile pour Frantz qui le fait dans son sommeil avec l'aide de sa mère.

DA : Embrasse-moi et va en classe, petit chenapan.

Je marche avec Frantz
sur la route de l'école.

FRANTZ: Regarde tous ces oiseaux rouges.
On dirait des fleurs qui volent vers la mer...
Tu ne m'écoutes pas, Vieux Os?

FRANTZ: Pourquoi tu trembles?
VIEUX OS: Tu la connais?
FRANTZ: Non. Peut-être que Rico la connaît.
VIEUX OS: Si personne ne la connaît, elle va disparaître.

FRANTZ: Marquis adore les funérailles. On le suit.
VIEUX OS: Oh oui, Marquis pourrait retrouver la fille.
FRANTZ: Es-tu devenu fou? Je ne t'ai jamais vu comme ça.

Frantz arrête quelqu'un dans la foule.

FRANTZ : Qui est mort ?
L'HOMME : C'est la fête des morts, aujourd'hui.
FRANTZ : Ma mère m'attend alors... Viens avec moi,
Vieux Os.

VIEUX OS : Da me tuera si elle sait que je n'ai pas été à l'école.
FRANTZ : Comment le saura-t-elle ?
VIEUX OS : Da sait tout.

Frantz m'entraîne vers le cimetière.

Frantz et moi, on pique des fleurs laissées sur d'autres tombes pour faire un bouquet pour sa mère.

FRANTZ: T'as pas besoin d'avoir peur.

VIEUX OS: T'as vu leurs yeux?

FRANTZ: Ça leur permet de circuler dans nos rêves.
Les papillons ne font pas de bruit. Ma mère m'a tout expliqué.

VIEUX OS: T'as de la chance de connaître quelqu'un qui vit ici.
Chez moi, on n'a pas encore de mort.

Une belle femme avec des papillons roses à la place des yeux s'approche de Frantz pour lui offrir un gros bouquet de fleurs sauvages.

SÉRAPHINA : Je m'appelle Séraphina, et ta mère était ma meilleure amie. Imelda et moi, on se connaît depuis notre enfance.

VIEUX OS : On peut mourir d'amour ?

SÉRAPHINA : Oh oui...

VIEUX OS : Je ne veux pas aimer alors... Pas tout de suite.

Séraphina rit.

SÉRAPHINA : Ça ne dépend pas de nous, Vieux Os... Et puis, mieux vaut mourir d'amour que d'autre chose.

Sa voix fait une jolie musique qui m'attire au lieu de me faire peur.

C'est la fête!

Les morts entrent dans la danse.

VIEUX OS : C'est qui ?
UN MORT : C'est Ulla Bergman, la femme d'un commerçant allemand du bord de mer... Elle est morte l'année dernière.

Soudain le ciel devient rouge. La rivière, jaune. Les montagnes, au loin, mauves. Debout sur une tombe, Marquis n'arrête pas de hurler. Tout le monde court partout. C'est la fin du monde.

VIEUX OS : Da doit commencer à s'inquiéter.
FRANTZ : Arrête de pleurnicher, ce n'est que de la pluie.

Frantz et moi, on court se mettre à l'abri dans cette petite maison de bois, à l'entrée du cimetière. Dans l'obscurité, on distingue à peine une vieille femme.

TÉZINA : Les enfants, n'ayez pas peur de la vieille Tézina. Je suis aveugle de naissance.

Marquis se met à japper.

TÉZINA : Tais-toi, Marquis.

Marquis se couche tout de suite.

FRANTZ: Oui, elle est toujours avec moi.

TÉZINA: Et toi? Tu es le petit-fils de Da... C'est étrange, je n'arrive pas à lire dans ta main.

VIEUX OS: C'est grave?

TÉZINA: Attends... Je vois que tu vas voyager loin, très loin... Tu ne reviendras qu'à la fin.

VIEUX OS: Je ne veux pas quitter Da.

TÉZINA: Ça ne dépend ni de Da, ni de toi, mon fils. Les dieux ont décidé.

Mon sang se glace dans mes veines.

FRANTZ (excité): Il y avait un cavalier tout
de noir vêtu au cimetière...
VIEUX OS (excité aussi): ...qui a emporté
une femme en robe de mariée sur son
cheval noir.
TÉZINA (calme): C'était Baron
Samedi.

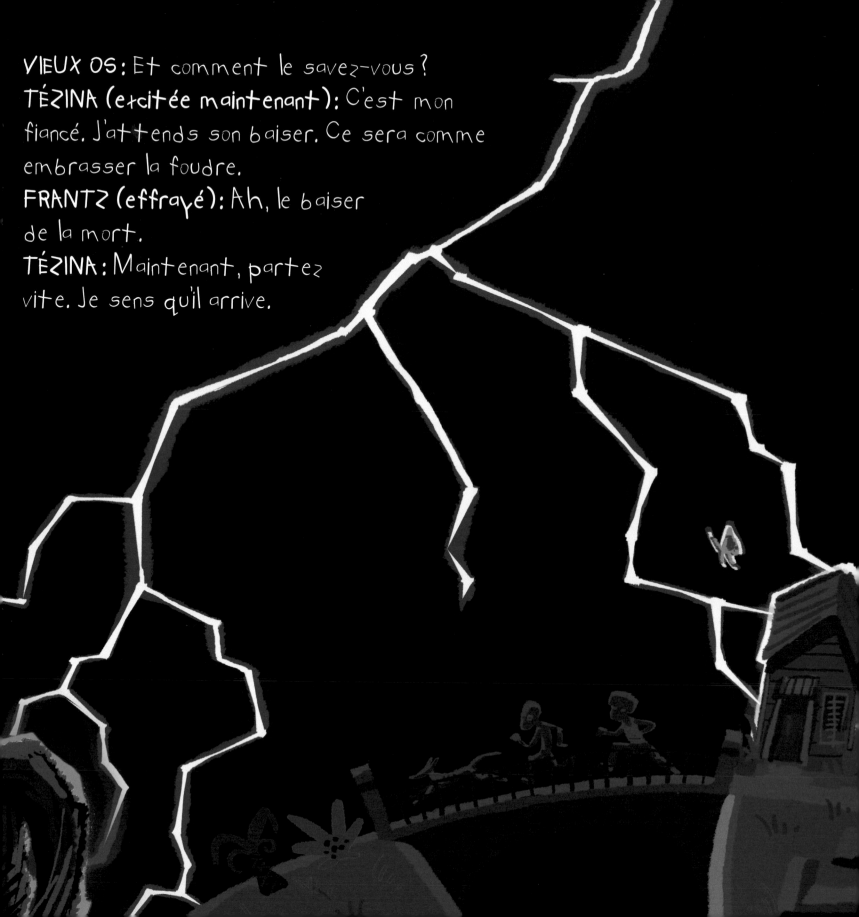

VIEUX OS: Et comment le savez-vous?
TÉZINA (excitée maintenant): C'est mon
fiancé. J'attends son baiser. Ce sera comme
embrasser la foudre.
FRANTZ (effrayé): Ah, le baiser
de la mort.
TÉZINA: Maintenant, partez
vite. Je sens qu'il arrive.

Le soleil est de retour. Toute la bande est là.
Frantz, Rico, Didi, Zina et moi.

Rico prend Frantz à part.

RICO : T'as vu la nouvelle fille qui vient des Palmes ?

FRANTZ : Vieux Os en est déjà fou.

VIEUX OS : Il y a une lumière
qui fonce sur moi.
RICO : Qu'est-ce qui se passe ?

Le notaire Loné fait sa promenade quotidienne.
C'est mon voisin, un bon ami de Da.
Je vais me faire invisible.

LE NOTAIRE LONÉ : N'est-ce pas toi Frantz, le fils d'Imelda ?

FRANTZ : Oui, monsieur.

LE NOTAIRE LONÉ : Ta mère était la plus belle femme de Petit-Goâve.
Beaucoup d'hommes ont perdu la tête pour Imelda. Quel malheur !

VIEUX OS : Il ne m'a pas vu.

Un pêcheur passe tout près de nous.

VIEUX OS : C'est ce que je veut faire plus tard.
FRANTZ : Tu veut être pêcheur ?

L'oiseau s'envole vers le large.

VIEUX OS : Comme l'oiseau noir, je m'envolerai un jour pour ne plus revenir.
RICO (triste) : Tu n'aimes plus ici ?
VIEUX OS : C'est mon destin, Rico.

FRANTZ: C'est la première fois que je vois ta grand-mère comme ça.

RICO: Elle a l'air fâchée.

VIEUX OS: Elle sait que je n'ai pas été à l'école.

RICO: Comment peut-elle savoir ça?

VIEUX OS: Elle a un radar.

DA : Tu m'as fait peur, Vieut Os. Heureusement que le notaire Loné m'a rassurée.

VIEUX OS : Da, il s'est passé tellement de choses, aujourd'hui, que ça prendra toute ma vie pour tout te raconter.

DA : Comment s'appelle-t-elle ?

VIEUX OS : Comment
tu sais ça ?
DA : J'entends ton cœur
battre jusqu'ici.
VIEUX OS : Je ne connais
même pas son nom.
DA : C'est l'amour.

Je n'arrive pas à dormir.

DA : Quelque chose te tracasse, Vieux Os.
VIEUX OS : Je peux te demander quelque chose, Da ?
DA : Bien sûr...
VIEUX OS : Da, tu ne vas pas mourir ?
DA : Bien sûr, Vieux Os... On va tous mourir, un jour.
VIEUX OS : Tu reviendras alors me voir dans mes rêves...
Comme la mère de Frantz.
DA : Ah, je vois... Comme ça, tu n'auras pas à étudier
tes leçons pour les connaître.

Ce n'est pas juste, Da sait tout ce
qu'il y a dans mon cœur.

DA : Maintenant, il faut dormir.

DA : Tu te caches ?

VIEUX OS : Oh, tu m'as vu.

DA : Pourquoi tu n'es pas au lit, Vieux Os ?

VIEUX OS : Je n'arrive pas à dormir... Da, tu ne m'as jamais dit pourquoi le vieux Labastère est enterré dans notre cour.

DA : Il était déjà là avant mon arrivée dans cette maison.

VIEUX OS : Pourquoi on ne l'a pas enterré au cimetière ?

DA : C'est ici qu'il fumait sa pipe chaque soir.

VIEUX OS : As-tu déjà vu son fantôme, Da ?

DA : Non, parce que je lui offre toujours du café.

VIEUX OS : Comme ça, il n'a pas l'impression d'être mort.

DA : On meurt, Vieux Os, quand il n'y a plus personne sur terre pour se rappeler ton nom.

VIEUX OS : Tu ne mourras jamais, Da, car je me souviendrai toujours de toi.
DA (émue) : Je te remercie, mon fils... Maintenant, tu dois aller te coucher...
Bonne nuit, Vieux Os.
VIEUX OS : Bonne nuit Da, bonne nuit Marquis, et bonne nuit monsieur
Labastère.

Da boit son dernier café de la journée en admirant les étoiles.

DANS LA MÊME COLLECTION

JE SUIS FOU DE VAVA (Dany Laferrière, Frédéric Normandin)
Prix du Gouverneur général : meilleur texte pour la jeunesse 2006
Nomination au Prix du Gouverneur général 2006 pour les illustrations

La fête des morts
a été publié sous la direction
de **Jennifer Tremblay**

CONCEPTION GRAPHIQUE
Folio infographie

PRODUCTION GRAPHIQUE ET IMPRESSION
Lithochic

©2009, Dany Laferrière, Frédéric Normandin
et les Éditions de la Bagnole
Tous droits réservés
ISBN 978-2-923342-27-6
DÉPÔT LÉGAL 2009
Bibliothèque et Archives nationales du Québec
Bibliothèque nationale du Canada

LES ÉDITIONS DE LA BAGNOLE
Case postale 88090
Longueuil (Québec) J4H 4C8
www.leseditionsdelabagnole.com

Les Éditions de la Bagnole reconnaissent l'aide financière du gouvernement du Canada par l'entremise
du Programme d'aide au développement de l'industrie de l'édition (PADIÉ) pour leurs activités d'édition.
Les Éditions de la Bagnole remercient de leur soutien financier le Conseil des Arts du Canada et la Société
de développement des entreprises culturelles du Québec (SODEC). Les Éditions de la Bagnole bénéficient
du Programme de crédit d'impôt pour l'édition de livres du gouvernement du Québec, géré par la SODEC.

❉ Imprimé au Québec – Deuxième impression mars 2010